Vendredi 23 Mars 2012
Sarah a 8 ans!
Bon Anniversaire
Mamie

M1
7 l 99
74 \ 25

Anna

Pour Roseanna
S. M.

© Éditions Nathan (Paris, France), 2012
Loi n° 49.956 du 16 juillet 1949 sur les publications destinées à la jeunesse
ISBN : 978-2-09-253390-1
N° d'éditeur : 10175132 – Dépôt légal : janvier 2012
Imprimé en France par Pollina - L59122b

Susie Morgenstern

la famille trop d'filles

Anna

Illustrations de Clotka

Deux parents ou un seul, un enfant ou plusieurs : toutes les familles ne sont pas pareilles.

Dans la famille Arthur, il y a sept enfants. Un enfant, il ne suffit pas de le mettre au monde. Il faut l'élever, ce n'est pas facile. Alors sept… Les parents Arthur ne s'étaient pas rendus compte de tout cela.

Ariane, la mère, a d'abord renoncé à sa carrière de journaliste pour s'occuper de sa famille. Toutefois, après la naissance de son cinquième enfant, elle a reçu une proposition de travail comme grand reporter pour une chaîne de télé et elle n'a pas pu refuser. Quant au père, Arthur Arthur, oui, c'est bien son nom, il a inventé un logiciel et depuis, il doit l'installer sur des ordinateurs partout dans le monde.

Mais alors comment font les parents Arthur avec tous ces enfants ?

Arthur, ingénieux ingénieur, a inventé des dispositifs pour que les biberons tiennent tout seuls et des berceaux électriques. Mais il n'a jamais réussi à construire un système pour changer les couches sans les mains.

Du coup, c'est Anna, l'aînée, qui a changé les couches de Bella, la deuxième, qui s'est occupée de Cara, la troisième, qui elle-même a pris soin de Dana, la quatrième, en charge

d'Elisa qui veille sur Flavia, la sixième qui
garde un œil sur Gabriel, le petit dernier.

Et puis, les parents ont aussi embauché Billy, le baby-sitter irlandais, le plus récent d'une longue série de nounous.

Mais Billy fait souvent appel à Anna pour le seconder. Le matin, par exemple, comme Billy n'aime pas se lever tôt, il confie volontiers aux grandes la tâche d'habiller et de nourrir toute la fratrie.

Cette année, Anna vient d'entrer en sixième et elle a beaucoup plus de devoirs. Pourtant, elle continue à surveiller ceux des autres enfants : Flavia est entrée en C.P., Elisa en C.E.1, Dana, en C.E.2, Cara en C.M.1 et Bella en C.M.2.

Gabriel, lui, en grande section de maternelle, n'a pas de devoirs. Mais il est allergique aux acariens. Il est toujours en train d'éternuer, renifler, avec les yeux et le nez qui coulent. Il a du mal à respirer.

Alors, avant d'aller se coucher, Anna

chasse la moindre poussière dans la petite chambre presque stérile que les parents ont aménagée pour le benjamin. Ensuite, elle rejoint ses sœurs dans la chambre « dortoir » qu'elles occupent toutes les six.

deux

Ce matin, en partant au collège, Anna songe à sa famille : Est-ce que ses parents vont bien ? Et Bella ? Elle ne parle pas et passe son temps à écrire des poèmes. Cara s'ennuie à l'école. Dana est mystérieusement triste en ce moment. Heureusement qu'Elisa est drôle et pleine de joie. Flavia réussira-t-elle à apprendre à lire ? Et Gabriel ne va-t-il pas trop tousser à l'école ?

Tiens, voilà Sophie, la copine d'Anna depuis la maternelle ! Elle organise une pyjama party chez elle :

– Il faut absolument que tu viennes !

Anna adorerait y aller. Ce serait l'occasion de faire connaissance avec des filles de la classe ? Car Anna ne se lie pas facilement

avec les autres au collège. Pourtant, cela ne l'empêche pas, depuis la rentrée, de penser à Martin, un garçon de sa classe qui semble la suivre quand elle va chercher Gabriel à l'école. Lui aussi a un petit frère à la maternelle. Ils récupèrent leurs frères et se font des sourires un peu timides. Jusqu'à présent, seul Billy et ses millions de fautes de français réussissent à faire ainsi sourire Anna.

Le soir venu, quand tout le monde est bien rentré à la maison, Anna et Billy lancent les ordres : les devoirs d'abord. Anna fait la maîtresse, passe de l'une à l'autre, résout les problèmes de maths, fait des dictées, encourage ou gronde. Elle surveille le bain de Gabriel.

Pendant ce temps, Billy prépare le dîner : des lasagnes aux épinards. Il aide Anna à faire ses devoirs d'anglais pendant que Bella met la table. Cara rassemble les troupes et Dana touille la salade. Elisa raconte des blagues tandis que Flavia boude.

Puis, comme s'ils avaient reçu le signal que tout était prêt, les parents téléphonent, d'abord l'un, puis l'autre. Ensuite, les enfants se dépêchent de dîner pour voir le reportage de leur mère à la télé.

C'est seulement après, quand tout le monde est au lit, dents brossées, qu'Anna

se laisse aller à ses pensées : le sourire de Martin, la pyjama party et sa dernière conversation avec Sophie sur le stage de radio qu'elles aimeraient faire pendant les vacances de Toussaint. Anna adore savoir ce qui se passe dans le monde, elle est obsédée par les nouvelles et elle écoute la radio chaque fois qu'elle peut. C'est la radio qu'elle aime, beaucoup plus que la télé qu'elle regarde seulement pour y voir sa mère.

Elle s'endort d'un coup et se réveille, surprise que la nuit soit finie.

Avant même sa toilette, elle fait son lit. La veille, elle avait sélectionné les vêtements pour les plus petits, demandé à une sœur de mettre la table du petit-déjeuner… Avant de partir, on entend la voix de Billy :

– Fermez bien le porte !

Et les sept enfants répondent en chœur :

– LA porte, Billy ! LA porte !

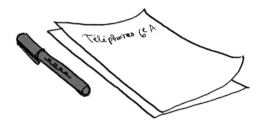

trois

AVEC SON AIR SÉRIEUX et serviable, ce n'est pas étonnant qu'Anna ait été élue déléguée de la classe. Malheureusement, elle déteste l'autre délégué qui était en CM2 avec elle, Jason Laloue, une brute qui aime surtout donner des ordres en mangeant des bananes dont il a toujours un stock dans son sac.

– Tu feras la liste de toute la classe avec les numéros de téléphone, lui ordonne-t-il.

Anna ne dit rien : elle déteste les disputes. Cette tâche supplémentaire va la forcer à parler avec les autres élèves, ce qui la décourage d'avance. Ce n'est pas qu'elle soit timide, juste réservée. Heureusement, elle va pouvoir demander son numéro à Martin... ça au moins c'est agréable.

– Tu n'as qu'à faire circuler une feuille pendant le cours d'histoire-géo, lui suggère Sophie.

Mais la feuille est vite confisquée par la prof d'histoire-géo, qui ne permet pas à Anna de s'expliquer et qui lui donne la première punition de sa vie.

Retenue par la prof, Anna arrive en retard pour récupérer Gabriel. Elle ne parvient pas à retenir ses larmes et détourne la tête quand elle croise Martin. Mais celui-ci lui attrape le bras et lui dit avec un gentil sourire :

– C'est pas grave pour la feuille. La prof n'a pas bien compris. J'irai la voir avec toi si tu veux.

Anna est trop émue pour répondre.

Et le soir, la maudite punition semble plus douce grâce à la main de Martin posée sur son bras.

Le lendemain matin, le téléphone réveille tout le monde. Anna se précipite pour répondre. C'est Sophie :

– Désolée de t'appeler si tôt, mais tu ne m'as pas dit si tu pouvais venir à ma pyjama party.

– Qui vient ?

– Je n'ai encore invité personne. Toi d'abord.

– Je te dirai demain. Mes parents ne reviennent pas ce week-end et je ne sais pas si Billy sera là samedi soir.

Sophie, enfant unique, a deux parents pour elle toute seule et aucun frère ou sœur à surveiller. Elle ne se rend vraiment pas compte de ce que sont les journées de sa meilleure amie. De son côté, Anna aimerait aller à la fête. Elle demandera à Billy si elle peut sortir samedi. Mais là, elle doit vraient se dépêcher d'expédier tout le monde à l'école.

Gabriel est grognon, il a mal au ventre, il tousse, il n'a pas faim, il ne veut pas s'habiller.

– Tu fais les filles, je m'occupe du garçon ? demande-t-elle à Cara.

Toute la famille sait qu'un seul garçon demande plus de travail que les six filles réunies !

Cara met ses chaussettes à Flavia et verse le jus d'orange dans les verres et les céréales dans les bols. À vrai dire, il faudrait une journée entière rien que pour préparer les sept enfants le matin.

C'est Bella aujourd'hui qui dépose Gabriel à la maternelle. Ils s'en vont main dans la main, en profonde conversation. Gabriel est le seul à pouvoir faire parler Bella.

Anna, elle, se presse vers le carrefour où elle sait qu'elle pourra peut-être retrouver Martin. Il est là, à l'attendre. Ils font le chemin ensemble. Martin est certainement le garçon le plus craquant de sa classe. Et ce

qui est incroyable dans l'histoire, c'est qu'il s'appelle Martin Martin tout comme le père d'Anna s'appelle Arthur Arthur. Est-ce que l'histoire se répète? Est-ce possible? Un coup du destin? Anna, qui d'habitude ne se confie pas facilement, lui raconte pourtant son problème de pyjama party.

– Mais vas-y! Ce Billy peut faire ça pour toi! Dans cette famille trop d'filles, tu mérites des vacances! l'encourage Martin.

– Je demanderai ce soir à Billy et à mes parents.

Pendant le coup de fil quotidien des parents, ceux-ci racontent chacun à son tour les problèmes qu'ils ont eus, leur mère dans un pays en guerre, leur père dans des embouteillages à l'autre bout de la France... Et Anna n'ose pas parler de son invitation.

Billy, quant à lui, est préoccupé par son histoire d'amour avec une certaine Mary Jane, que les filles trouvent bizarre. Anna n'a pas l'occasion de lui demander ce qu'il fait samedi soir.

quatre

– Alors? lui demande Sophie le lendemain.

– Je ne sais pas encore.

Sophie lui tend son téléphone portable :

– Vas-y, appelle Billy.

– Hello Billy, c'est Anna.

– Qu'est-ce qui se passe? demande Billy, un peu paniqué.

– Sophie m'a prêté son portable. Est-ce que je peux dormir chez elle samedi soir?

– Aïe ! Ça tombe mal cette semaine ! J'ai promis à Mary Jane que je l'accompagne dîner chez ses amis crazy !

Anna fait non de la tête en direction de Sophie. Elle dit vite au revoir à Billy avant de se mettre à pleurer.

– Et si on la faisait chez moi, cette pyjama party ? renifle-t-elle. Si je ne peux pas venir à la fête, la fête viendra à moi.

Sophie adore aller chez Anna et dormir dans une chambre avec toutes ces filles. Et

elle est folle du petit Gabriel. En plus, il y a
toujours du bruit et de l'action.

– C'est super! accepte-t-elle, ravie.

Martin, lui, est scandalisé. Il trouve
qu'Anna est trop gentille avec sa drôle de
famille. Anna aimerait l'inviter aussi, mais
elle n'ose pas.

Le soir de la pyjama party arrive très vite.
Avant de sortir, Billy prépare un dîner orange :
une soupe de potiron, des cuisses de canard
à l'orange avec une purée de carottes et une

tarte à la citrouille. Billy, qui étudie dans une école de cuisine française, s'entraîne souvent sur les Arthur. Il voudrait être un grand chef.

Lorsque Sophie arrive, tout le monde se met en pyjama pour dîner.

Soudain, la sonnerie de la porte d'entrée interrompt le joyeux tumulte. Tous, étonnés, se taisent. C'est Billy qui va ouvrir :

– It's Martin ! And his little brother !

Anna accourt, toute surprise. En réponse à son regard étonné, Martin lui tend la feuille remplie par la classe.

– Je l'ai fait pour toi.

– On… On va dîner, tu veux rester ? bafouille Anna, troublée de voir Martin chez elle.

– Avec plaisir, il faut juste que j'avertisse mes parents.

Les parents sont d'accord et le dîner orange peut commencer, sous le regard soupçonneux de Sophie :

– Nous, on a des pâtes tous les soirs, dit-elle en regardant la soupe de potiron. Même si on me payait dix mille euros, je n'y goûterai pas !

Elle a vu aussi la tarte à la citrouille. Beurk ! Les citrouilles, c'est pour la déco d'Halloween. Les Arthur sont vraiment bizarres : ils mangent n'importe quoi !

– Ici, rétorque Flavia, on mange des pâtes seulement quand personne n'a rien préparé mais il y a toujours une bonne sauce.

– C'est délicieux ! dit Martin, dévorant la part de son frère, François, qui partage l'avis de Sophie et qui préfère se gaver de pain.

– Mais lors d'une pyjama party, il doit y avoir des sandwiches et des chips, des cacahuètes et du pop corn, reprend Sophie.

Une fois la cuisine rangée, le spectacle peut avoir lieu.

Pour commencer, Anna entonne une chanson que tous reprennent en chœur.

Ensuite, Bella récite un poème qu'elle a composé pour l'occasion. Sa sœur, Cara, joue une scène de la pièce qu'elle répète pour l'école. Avec maladresse, Dana tente un tour de magie qui rate, mais tous applau-

dissent. Pour le final, Elisa enchaîne des pirouettes. Flavia, la plus jeune des filles, reste assise à manger du pop-corn avec Sophie, François et Gabriel, qui regarde ses sœurs, béat d'admiration.

Sophie voudrait rester avec eux toute sa vie, même si elle n'aime rien de ce qu'ils mangent.

Martin, lui, aimerait traîner plus longtemps dans cette maison peuplée et gaie, mais il doit ramener son petit frère.

Au moment de dire au revoir, il se penche vers Anna et lui plante un petit bisou tendre au coin de la bouche.

Bella, qui a assisté à toute la scène, aimerait un jour recevoir un tel bisou car c'est ça, tout le but de la vie : un bisou tendre.

– D'accord. On fera du pop-corn après le dîner, pendant le spectacle, propose Anna.

Sophie est ravie car elle adore les spectacles chez les Arthur. Chaque fille a un talent spécial, et Gabriel est un parfait spectateur. Mais il faut tout d'abord débarrasser la table et nettoyer la cuisine. Chez elle, on ne lui demande rien, comme si elle était trop stupide pour lever le petit doigt.

TABLE DES MATIÈRES

un

. . . . 7

deux

. . . . 13

trois

. . . . 21

quatre

. . . . 31

Susie Morgenstern

Susie a grandi dans une famille de filles, mais jamais TROP de filles. En plus, elle a des filles ! Et des petites-filles ! Née aux États-Unis, elle a émigré en France et elle écrit en français (peut-être trouve-t-elle le français plus féminin ?). Elle a l'impression de bien comprendre les filles. Pour elle, un garçon c'est un extraterrestre ! Elle est la plus heureuse quand elle est chez elle, à Nice, en train… d'écrire !

Clotka

Clotka est née dans la formidable campagne picarde, mais elle vit à Paris depuis l'âge de 10 ans. En 2005, étudiante à l'EPSAA, avec ses camarades de promo, elle lance le blog *Damned*, première étape qui la conforte dans son désir de faire de la bande dessinée. En 2009, elle publie sa première BD, *Les équilibres Instables* avec Loïc Dauvillier (Éditions Les Enfants Rouges). Parallèlement elle réalise des illustrations pour la presse et l'édition jeunesse.

Actuellement, elle prépare un album d'aventures, qui verra le jour en 2012, à peu près en même temps… que la fin du monde !

Le titre *La Sixième*, de Susie Morgenstern, est édité à l'École des Loisirs.

la famille trop d'filles

Après Anna et Bella, retrouve toute la famille
Trop d'filles très bientôt en librairie !

À paraître
en mars 2012

À paraître
en mai 2012

www.nathan.fr

premières romans

Bella

Une série écrite par Susie Morgenstern
Illustrée par Clotka

« Même si « sœur » ça rime avec « cœur » / Même s'il y a de l'amour pour chacune / Même si c'est une foule de bonheur / Rester un peu seule, est-ce demander la lune ?

Chez les Arthur, surtout dans la chambre des six filles avec les six lits alignés, quand on éteint la lumière à vingt et une heures et qu'on dit bonne nuit, c'est fini. Plus rien ! Et à ce moment-là, Bella sait ce qu'elle aimerait le plus au monde : une lampe de chevet dans une chambre pour elle toute seule, où elle pourrait lire autant qu'elle veut. »

Bella, la plus timide des sœurs, voudrait parfois être seule pour lire mais surtout pour écrire les poèmes qu'elle se récite dans sa tête…